11/9/02

To Jessie

May your life's
river run smooth!

Armando

11/2/05

At the Edge of the River

Al Lado del Rio

Poetry and Prose in English y Español

by Armando Garcia-Dávila

2279 W. Hearn Ave.
Santa Rosa, CA. 95407
(707) 591-0595

Running Wolf Press
Healdsburg, California

ISBN   0-9701333-4-0
Library of Congress Catalog Number:
2001087620

Line Drawings and Cover Art: Ann Martin Garland
Back Cover photo: J.J. Wilson
Book Design: Chip Wendt
Printing: Barlow Printing, Cotati, California

Published by
Running Wolf Press

DEDICATION

To Emilio and Cecilia who bring me much joy and pride.
To J.J. Wilson and Jerome Ford who have been so generous to
me with their friendship and have taught me to love, respect,
and enjoy life and the written word.
To Kathleen who loves and accepts all that I am and am not.
To so many who have loved me and supported my work.
And to Osita, the black cat who likes me on occasion but never
has cared for my poetry.

DEDICATORIA

A Emilio y Cecilia, quienes me ofrecieron su ayuda y apoyo.
A J.J. Wilson y Jerome Ford quienes han sido muy generosos
conmigo ofreciéndome su amistad y me han enseñado a amar,
respetar, disfrutar la vida y la palabra escrita.
A Kathleen quién ama y acepta todo lo que soy y lo que no soy.
A todos los que me estiman y apoyan mi trabajo.
Y a Osita, la gata negra que en ocaciones le caigo bien, pero que
nunca se ha interesado por mi poesía.

ACKNOWLEDGEMENTS

My eternal thanks to the translators, Elizabeth Topete and also to Juan Carvajal and Mario Guzman of The Spanish Learning Center, an organization dedicated to helping the English and Spanish speaking communities to understand and communicate effectively with one another. It was through their selfless and dedicated work that the words and more importantly the sentiments of the poetry and prose in this book were translated. And to Doug Stout and Simon Jeremiah, for their invaluable editorial consulting. My utmost thanks to Chip Wendt and Martha Dwyer of Running Wolf Press who made this book possible through their love and generosity.

 Muchas gracias a mis amigos.

AGRADECIMIENTOS

Mi eterno agradecimiento a los traductores, Elizabeth Topete, también a Juan Carvajal y Mario Guzman de The Spanish Learning Center, una organización dedicada a ayudar a las comunidades que hablan inglés y español, para entendernos mejor y comunicarnos efectivamente . Esto fué a base de su ayuda desinteresada y dedicación al trabajo, que más importante que las palabras, fué el sentimiento de la poesía y prosa que en éste libro fueron traducidas. Y a Doug Stout y Simon Jeremiah, por sus consultas editoriales. Mi agradecimiento especial a Chip Wendt y Martha Dwyer de Running Wolf Press, quienes han hecho posible éste libro a través de su amor y generosidad.

 Muchas gracias a mis amigos.

TABLE OF CONTENTS

INTRODUCTION

PENSIVE STREAMS

CALM CURRENTS

A TURBULENT RIVER

MOON-LIT RIVER

ÍNDICE DE MATERIAS

INTRODUCTION

"But on this day, and in this dawn, this river that perpetually passes from the yesterday to the tomorrow and is yet perpetually in the here seduces this man, lures him to ford its waters..."

What is it about the metaphor of river as life that has drawn so many writers over the millennia? Mark Twain takes Huckleberry Finn down the mighty Mississippi River. A boy begins the odyssey, a man finishes. Thirteen hundred years earlier a master teacher takes Siddhartha to a river (Siddhartha would one day become the Buddha, "the enlightened one") and tells his young apprentice to observe how the river, like life, constantly passes and yet is constantly in the present, how the river appears to be the same yet it is in dynamic change. And so it goes. When one is new to the world, he finds himself standing at his own river's edge. Here all things are a mystery.

"Daddy, where does the rain come from?"

"The clouds, son."

"Where do the clouds come from?" And bit by bit the boy begins to understand. He witnesses the passing of seasons bringing rains that form streams. One stream joins another becoming a powerful river. Following puberty the young man, physically stronger and knowledgeable, is seduced into feeling that he is as invincible as the rain swelled river.

"When I am a man I will right the world," becomes his mantra as many streams join the river. Our young man fishes, and wades, and swims in it year after year. Each time daring to go further into deeper and unknown water until the day that he is swept into a powerful churning current. He flails, gasping for air with no more control than a drowning kitten. If he survives he will have learned a profound lesson; the river gives life as easily as it takes it.

Isn't this the way it is? Just when we think we have life figured and under control, we get a bit too comfortable, even cocky perhaps, then wham! We lose our job, or there is an unintentional pregnancy, or we break an arm, or the recreational use of alcohol or drugs has turned into an addiction, as if life is not hard enough! But life, like the river, continues to change and flow, indifferent to our problems or needs. The river calmly and slowly drifts or perilously churns in enraged torrents. With luck we survive, and hopefully learn to respect it.

At mid-life I find myself standing at my own river's edge having survived a good share of battering in dangerous currents. I pray that you find a measure of wisdom or amusement from this poetry and prose.

INTRODUCCIÓN

"Pero en éste día, y en éste amanecer, éste río que pasa perpetuamente desde el ayer hasta el mañana y es aún perpetuamente en el ahora seduce a éste hombre, lo atrae a surcar sus aguas..."

¿Qué es esto acerca de la metáfora del río como la vida que ha atraído a muchos escritores durante milenios? Mark Twain tomó Huckleberry Finn en una odisea de río donde el creció desde la niñez hasta la madurez. Mil trescientos años atrás un gran maestro tomó al joven Siderata hacia el río (Siderata podría algún día ser el Buda, "el iluminador"), él dijo a su aprendíz que observara como el río, así como la vida, pasa constantemente y todavía es contante en el presente, como el río parece ser el mismo aún en un cambio dinámico. Y así sigue. Cuando uno es nuevo para el mundo, él se encuentra sólo parado en su propia orilla del río. Aquí todas las cosas son un misterio. ¿De donde vienen las aguas del océano, y las montañas en el horizonte, y el viento? Madre y padre parecen saber todo para el niño.

"¿Papi, de donde viene la lluvia?"

"Las nubes, hijo."

"¿De donde viene la lluvia?" Y poco a poco el niño empieza a entender. Por la adolescencia él ha acumulado una cierta cantidad de conocimiento por simplemente haber sido testigo del transcurso de las estaciones trayendo lluvias que forman riachuelos; uniéndose uno al otro hasta formar un río. En los años siguientes a la pubertad, el hombre joven se dá cuenta que ha llegado a ser físicamente fuerte y sabio; hasta que es seducido en el sentimiento que es tan invencible como un río poderoso.

"Cuando yo sea un hombre, yo dirigiré al mundo," se hace su mantra como tantas corrientes que levantan el río. Nuestro hombre joven pesca, surca el agua, y nada año tras año. Cada vez desafiando con ir más lejos, hasta lo más profundo y desconocido del agua; hasta el día en que esté balanceándose en una corriente poderosa y agitadora. Él se revuelve, jadeando por aire con menos control que un gatito ahogándose. Si el sobrevive, él habrá aprendido una profunda lección: el río dá vida tan fácilmente como la quita.

¿No es éste del modo que es? Justo cuando nosotros pensamos tener una vida formada y bajo control, cuando estamos muy comfortables, hasta chulos quizás, entonces ¡zas! Perdemos nuestro trabajo, o resulta por ahí un embarazo no intencionado, o nos quebramos un brazo, o cuando el uso recreacional del alcohol o drogas se ha tornado en una addicción, haciendo la vida mucho más dura de lo que ya es. Mientrastanto, toda ésta vida, así como el río, continúa fluyendo indiferente a nuestros problemas o necesidades. El río fluye despacio y calmadamente o se agita peligrosamente en torrentes enfurecidos dependiendo en la temporada del año, y con suerte hemos sobrevivido y aprendido prometedoramente a respetarlo.

A la mitad de la vida me encuentro a mí mismo parado en mi propia orilla del río habiendo sobrevivido una buena parte de maltrato en esas corrientes peligrasas. Yo rezo para que encuentres una medida, aunque sea pequeña, de sabiduria o rogocijo de ésta poesía y prosa. Lo mejor que uno puede hacer en ésta odisea de vida es ofrecer amor, condolencia, y compadecimiento en éste viaje a nuestro río algunas veces tranquilo y otras veces turbulento.

Pensive Streams

Riachuelos Pensativos

OF CIRCLES AND ARROWS

This journey of manhood is a burdensome trek.

When does it end? The uncertainty that a man drags around like an anvil shackled to his ankle.

How many decades must pass before he is at ease in his skin and able to laugh with the parrots and hyenas?

Does the day ever come when this seemingly endless tug-of-war ends between would-be Alpha males?

Will men ever quit interpreting gazes as furtive, smiles as cynical, and viewing sticks as weapons with which to defend or attack?

If given the choice would he rather see his enemies become allies or would he just as soon delight in witnessing their bones being picked white by condors and ants?

Will the fears of abandonment and gravestones ever cease?

And just how many more wanderings on these darkened streets cobbled with suspicious stones will it take, before a man allows himself to see the dawn of trust?

Santa Rosa, November, 1999

DE CIRCULOS Y FLECHAS

Este viaje de edad adulta es una carga larga y pesada.

¿Cuando terminará esto? La incertidumbre que un hombre arrastra alrededor como un yunque encadenado a su tobillo.

¿Cuántas décadas deben pasar antes que él esté confortable en su piel y capaz de reir con los loros e hienas?

¿Vendrá alguna vez el día en que éste, aparentemente sinfín, juego de la cuerda termine en medio de lo que serían Alpha masculinos?

¿Abandonarán los hombres alguna vez el interpretar miradas como furtivas, sonrisas como cinismo, y mirar palitos de madera como armas para defender o atacar?

¿Si se diera la alternativa, él preferiría ver a sus enemigos hacerse aliados o justo ahora él disfrutaría el presenciar cuando sus huesos son picados hasta el blanco por cóndores y hormigas?

¿Cesarán alguna vez los miedos al abandono y lápidas?

¿Y justo cuántas incógnitas más deambularán en éstas calles obscuras, pavimentadas con piedras sospechosas antes que un hombre se permita así mismo ver el alba de la confianza?

Santa Rosa, Noviembre, 1999

THE DAY WILL COME

And the day will come when the switch will be turned on but no light will illuminate.

Computers will not hum nor monitors glow.

Boys will have no flashing games to play.

Pumps will not pour out gasoline.

Everyone will walk on the concrete and asphalt made for machines.

Those wearing heeled shoes will not keep up with those wearing sneakers.

Those who don't know how to start a fire will be cold.

The Martha Stewarts will be inconvenienced.

And those who live under bridges will not notice the difference.

Santa Rosa, December, 1999

EL DÍA VENDRÁ

Y el día vendrá cuando el interruptor sea prendido pero la luz no iluminará.

Computadoras no zumbarán, pantallas tampoco alumbrarán.

Niños no tendrán juegos que destellan para jugar.

Bombas no servirán gasolina.

Todo el mundo caminará en el concreto y asfalto hecho por máquinas.

Aquellos vistiendo zapatos de ala y tacón alto no se mezclarán con aquellos vistiendo zapatos de lona.

Aquellos que no saben como prender fuego tendrán frío.

Las Martha Stewarts serán incomodadas.

Y aquellos que viven bajo los puentes no notarán la diferencia.

Santa Rosa, Diciembre, 1999

THE GARDENER

I think of the señora in the morning, her legs, her arms; the sound of her laughter is the music of a silver harp guiding the lonely king to forgotten smiles.

Her hair is a field of gleaming wheat waving in a harvest breeze.

Señor Peacock fans his shining blue and green feathers and dances his luring dance for her, but alas in vain, for she would not settle for someone who offers only handsome plumage.

I think of her in the morning when the sun shines through her hair aglow like a halo in the cool dawn. I hear her singing with the birds serenading and welcoming the world from the land of happy and sad dreams.

I think of her graceful walk, barefoot on rose petals causing not so much as a bruise on those delicate wafers of the blossom.

I stole a glimpse of her silhouette through her gown; sun rays hugged, then passed around her gentle curves that would frustrate the most skilled sculptor.

I dream of touching, of embracing her, but what will she have of someone who is only hired to tend her garden? But that I could simply hold her smooth feet in my hands and wash them a hundred times and when she naps, steal a kiss on each toe, on each heel, on each ankle, on each sole.

But that I could tell her of my love of her spirit. But that we could sit under the oak together speaking only with our eyes.

This mid-day is hot, but I see her in the cool morn watering her garden while humming the hymn of the contented.

Santa Rosa, May, 2000

6

EL JARDINERO

Pensé en la señora en la mañana, sus piernas, sus brazos, el sonido de su risa es música de un arpa de plata guiando al rey solitario hacia sonrisas olvidadas.

Su pelo es un campo de trigo reluciente ondeando en una brisa de primavera.

El señor Pavoreal despliega sus plumas en azul y verde brillante y baila su atrayente danza para ella, pero ¡ay! En vano, pues ella no se conformaría con alguién quien ofrece sólo plumage atractivo.

Pensé en ella ésta mañana, el sol brillando a través de su pelo en el alba fría. Yo fuí tan afortunado de atrapar un destello de la luz del día de su pelo brillante como una aureola. Yo escuché su canto con los pájaros dando serenata y recibiendo al mundo de la tierra de sueños felices y tristes.

Pienso en su gracioso caminar, descalza en pétalos de rosa causando nada más que una magullada en esos panecillos delicados en flor.

Yo robé una copia de su silueta a través de su traje; rayos de sol la abrazaron, después pasaron alrededor de sus curvas delicadas que frustrarían al escultor más diestro.

Soñé con tocarla, con abrazarla, pero ¿Qué tendría ella de alguién quién es contratado sólo para atender su jardín? Pero yo podría simplemente sostener sus pies suaves en mis manos y lavarlos cien veces y cuando ella duerma su siesta, robarle un beso en cada dedo, en cada talón, en cada tobillo, y en cada planta de sus pies.

Pero que podría yo decirle de mi amor de su espíritu. Pero podríamos sentarnos bajo el roble juntos, hablando sólo con nuestros ojos.

Este mediodía está caluroso, pero la recuerdo en esa mañana fresca regando su jardín mientras tarareaba el himno a la alegría.

Santa Rosa, Mayo, 2000

EL OTRO LADO

He stands at the river's edge. Wisps of clouds turn red in the coming dawn. Some flying insects escape the jaws of large-mouthed fish in the hovering mist.

To his back the motherland with sad breasts deplete of milk.
To his back his woman and offspring.

But to his front the land of a foreign tongue and foreign ways peopled with those who will either hate or pity him.
To his front, a chance to prove himself, a chance to provide for those dependent on his muscle and dreams.
To his front mountains of work in El Norte where there is labor for a million strong men.

On ranches, one must stoop, and strain, and lug, and bend, there are countless herds of sheep and cattle and horses to tend.
There is work in factories, estates, kitchens, and in the fields, work pouring cement, driving nails, planting trees, and serving meals.
There is labor by day, labor by night, labor on the day of rest, putting the stamina of legs, and backs, and arms to the test.
There is never-ending work in orchards and vineyards from horizon to endless horizon.

And the river, the great dividing river, flows slowly, calmly, deliberately, as if no one has ever drowned while being pursued through its currents in the angry season of tumultuous waters, as if there were never a time of a ravenous torrent with an insatiable appetite that consumes all things from the docile cow to the venomous viper, and any other man or beast or flower or tree that dares it.

The river, the river burdened with the task of dividing avarice-plagued nations.

But on this day, and in this dawn, this river that perpetually passes from the yesterday to the tomorrow and is yet perpetually in the here seduces this man, lures him to ford its waters, invites him to look into his future. He gazes into a pool to see not a man in tattered pants and worn sombrero but the reflection of a caballero. A gentleman, a man of means who stands straight and pays his own way, and on Sundays takes his family to church in an automobile.

There, reflected in the baptismal water is a man in fine clothes with hair that is combed and trimmed regularly. This is what the big river offers, and it is all his to seize, if he simply crosses to "el otro lado," undetected by those who would keep him from his destiny.

Santa Rosa, December, 1999

EL OTRO LADO

El se para a la orilla del río. Algunos insectos voladores escapan de las mandíbulas de peces de boca grande en la neblina flotante.

A su espalda, la madre tierra con pechos tristes reducidos de leche. A su espalda, su mujer y descendencia.

A su frente, la tierra de una lengua extranjera y modos extranjeros, poblada con aquellos que lo odiarán o se compadecerán de él.
A su frente, una oportunidad de probarse así mismo, una oportunidad de cuidar a aquellos que dependen de su fortaleza y sueños. A su frente, montañas de trabajo en El Norte donde hay trabajo para un millón de hombres fuertes.

En ranchos, uno debe de encorbarse, jalonearse, arrastrarse e inclinarse, allí hay incontables manadas de borregos, vacas, y caballos para atender.
Allí hay trabajo en fabricas, cocinas, fincas y en los campos, trabajo vertiendo cemento, clavando clavos, plantando árboles y sirviendo comidas.
Allí hay trabajo de día, trabajo de noche, trabajo en el día de descanso, poniendo la fortaleza de piernas, espaldas y brazos en la prueba.
Allí nunca finaliza el trabajo en huertas, y viñedos en el horizonte sin fín.

Y el río, el gran río divisor fluye tranquilo, suave y deliberadamente, como si jamás nadie se hubiera ahogado mientras fué perseguido a través de sus corrientes en la estación feróz de aguas tumultuosas, como si allí nunca hubo un torrente encolerizado con apetito insasiable que consume todas las cosas, desde la dócil vaca hasta la más venenosa vívora, o cualquier otro hombre, o bestia, o flor, o árbol que lo desafíe.

El río, el río cargado con la tarea de dividir las naciones plagadas de avaricia.

Pero en éste día, y en éste alba, éste río que pasa perpetuamente desde el ayer hasta el mañana y es aún perpetuamente en el presente que seduce a éste hombre, lo persuade para surcar sus aguas, invitándolo a mirar hacia su futuro. Él fija su mirada en una charca para ver no al hombre en pantalones desgarrados y sombrero de paja, pero sí el reflejo de un caballero. Un señor, un hombre de dinero quién se para erguido y paga sus servicios, y los domingos lleva su familia a la iglesia en un automóvil.

Allí, reflejado en el agua bautismal, está un hombre en ropas finas y pelo que es peinado y recortado regularmente. Esto es lo que el río grande ofrece, y esto es todo lo que él obtendría, si él simplemente cruza a el otro lado, sin ser descubierto por aquellos que podrían quitarlo de su destino.

Santa Rosa, Diciembre, 1999

Calm Currents

Currientes Tranquilas

A WALK WITH TILLIE OLSEN

The ever-present clouds of an entire week adjourn for one hallowed afternoon. Sun rays and shade play hide-and-seek under the poplars, dogwoods, and redwoods that canopy the grounds of this blessed nursery dedicated to the sacred task of birthing and raising flora; tending it from infancy to the maturity of handsome and strong specimens.

And each plant seemingly thanks its patron with its aroma and show of blossoms as in the pink of a cherub's cheek, the red of an Irish maiden's hair, and in a myriad of gently tinted whites, blood of crimson, passionate fuchsia, royal purple, and the deep ocean blue of a spring day.

Breeze cools swaying branches then tickles foreheads with one's own hair. We stroll under a line of arbors vined with yellow flowers. We breathe fragrances of a thousand blossoms. Songbirds and splashing fountains serenade our communing pilgrimage in this maze of foliage and bower. For an exotic moment each ache of the body, each pain of the world is forgotten as we wind our way along one shaded path to another.

We ascend cool shaded moss covered steps, sit on a wooden bench overlooking the pond mirroring a hue, a pigment, a rainbow, a hundred multicolored blossoms, rhododendron, azalea, camellia, iris, foxglove, columbine, twining clematis and the ominously thorned plant "Dinosaur Food" with its spiked leaves the size of umbrellas. Water reflects the white flowers of wisteria snaking around and up, around and up a towering oak. Weeping Japanese Maples in green leaf and red stand well-rooted to the banks of the pond; one spans its branches further over the water than the other as if it has accepted a dare. Hostas and calla lilies sit contented and exquisite seemingly thanking those who placed them in such a wondrous situation.

Words trip and stumble in a clumsy dance attempting

description of this Eden in our back yard, this garden of soft and immense beauty. Willingly we leave a bit of our spirits here to spin and sway in the wind with strong protective pines, and to fly with the birds whose home we visit. Overcome by mother earth's artistry, we attempt to keep tears secured with properly tethered emotions and pity the artist's daunting task of capturing such a wonder with only a palate and paint brush. Finally we sit, still, quiet, like small, minor figures on a Monet canvas.

Sebastopol, May, 2000

UN PASEO CON TILLIE OLSEN

Las nubes siempre presentes en una semana entera interrumpida por una tarde festiva. Rayos de sol y sombra juegan escondidillas bajo los álamos, palos rojizos y palos de perro que cubren los suelos de éste vivero bendito dedicado a la tarea sagrada de dar vida y crecer flora, cuidándolo desde la infancia hasta la madurez de ejemplares atractivos y fuertes.

Y cada planta agradece a su patrón con su aroma y muestra de su floreo en el rosa de una mejilla de querubín, el rojo del pelo de una doncella irlandés, un sin número de blancas suavemente ahumadas, sangre de carmesí, fucsia apasionado, morado real, y el profundo océano azul de un día de primavera.

Brisa que no calienta ni enfría pero balancea ramas que después cosquillean cada frente amiga con su pelo. Nosotros paseamos bajo una línea de enredaderas con flores amarillas. Respiramos fragancias de mil floridos. Pájaros y fuentes adornaron con su música nuestra peregrinación en éste laberinto de follage y enramada. Por un momento exótico cada dolor del cuerpo, cada pena del mundo es olvidada así como dirigimos nuestro camino de un rumbo a otro.

Ascendimos escalones frescamente sombreados y cubiertos de musgo, nos sentamos en un banco de madera para mirar el estanque reflejando un arcoiris de matices y pigmentos, un ciento de flores multicolores, rododendro, azalea, camelia, iris, dedalera, colombiana, clematide, y la siniestra planta espinosa "Comida de Dinosaurio" con sus hojas punteadas del tamaño de sombrillas. El agua refleja las flores blancas de wistaria culebreándose alrededor y arriba, alrededor y arriba de un roble altísimo. Maples japoneses llorando de hoja verde y rojo parados muy bien arraigados a las orillas del estanque retando uno al otro para ver quién es más audaz en acercarse al agua. Cada uno extiende ramas sobre el estanque reflectivo, sus hojas sobresalen rozando la superficie. Lirios de hostas y cala se sientan contentos y exquisitas agradeciendo a aquellos que los pusieron en tan grandiosa situación.

Palabras trastabillean y tropiezan una y otra vez en una danza torpe, descripción atentada de éste Edén en nuestro patio trasero, jardín de belleza suave e inmensa. Dispuestamente ponemos nuestros espíritus aquí para girar y balancearse en el viento con fuertes pinos protectores, y para cantar, inclusive sin tono, con especies de pájaros cuya casa visitamos. Vencidos por la maestría de la madre tierra, intentamos mantener las lágrimas aseguradas con emociones atadas propiamente y compadecer la tarea amedrantadora del artista de capturar tal maravilla con sólo una paleta y un pincel. Finalmente nos sentamos, inmóviles, quietos, como pequeñas figuras menores en un lienzo de Monet.

Sebastopol, Mayo, 2000

LA NOCHE DE LOS MUERTOS

It was a grand night indeed.
It began in the normal course of past gatherings.
Each reveler rose from his resting place for the annual fiesta.

They wasted no time for they had only one night to play music
and dance and continue the conversations left unfinished from
the previous year's gala. The trumpeter began with the lively
tune of "La Negra" to the whoops and hollers of the assembled.
He was joined by the guitarists and violinists and the dancing
began in earnest.

Caballeros wore their finest suits and the damas their dresses
and jewels.

They never weary of playing music or of dancing at this annual
ball for they have no lungs to exhaust of air nor muscles to tire.
There is never a blister on a dancer's foot or a strummer's
finger, for they have no flesh. All is a mass of bleached white
bones in clumsy movements of interchange.

The men take to drinking tequila, but their thirst is never
satisfied as the fermented and distilled juice of the Agave
cactus splashes past gold-fillings and jawbone, through rib cage,
to trickle down spinal column, and onto the hardened dirt floor.

Colonel Heraldo makes his grand entrance each year in full
dress uniform (he stipulated that he was to be buried in it), his
medals dangling and brass buttons polished. He relates yet
again the details of the attack he led against the fortified
church in 1836, but each year the enemy forces grow as his own
dwindle until one imagines that he won the battle with only a
boy to hand him loaded weapons with which to defeat those
gangly gringo Texans.

Patricia and Laurela sit continuing their chatter left dangling for a full year as if the time had never passed. "Mine was a wonderful funeral," boasts Laurela as she fingers her pearl necklace, "people came from all around to pay their respects, except for Carina who never forgave me for taking her 'novio' when we were young. But he never could have loved her as he loved me. The way I see it, I did her a favor. How would it be to live with a man who would rather be with someone else? But she would never understand or admit to that." Patricia, as usual, nodded in agreement with whatever Laurela said.

In the meantime Semiòn got into a scrap with Marco. It seems that when they resided in the land of the living, Marco was the jailer who had to lock up Semiòn on a regular basis, for when Semiòn had flesh he tended toward the cantinas a bit, and was often found wandering the wooden walks of the town late at night. This was of no particular consequence since all of the decent women were safely tucked in their beds. But he would wail out the songs of lost loves disturbing those in slumber and then he marked the town's walls with his streams like the dogs that loved and followed him. With such behavior what was Marco the jailer to do but lock him up?

A resentful Semiòn purposely bumped the jailer and his partner on the dance floor. Words led to more words and a knife made its way into Marco. But it passed between ribs and touched not so much as a single vertebrae of his spine. The revelers laughed and laughed including the jailer. Well, need I say, this angered the jail-bird all the more. He threw a punch and both men landed on the floor in a tangled web of white bones.

Band members dropped their instruments. Men left their partners in order to separate the two. No one wants to see violence and, may God forbid, a broken bone!

Señor Douglas, the mayor, scolded the two men like school boys. "I will have no fighting, do you understand? Remember what happened to our friend Señor Chip? He fought and broke his hand bone and it was unfixable! We tied it together with leather straps but it kept falling off! We had to wait a full fifteen years for the woman Tania to die for it was only she in the town who knew how to strap pieces together with metal sheeting and screws. And she is gone to visit relatives in some far off land. Now please leave your resentments with the living, they certainly know what to do with them."

"We have precious few hours left before they come to clean the graves and leave the flowers and sweets. Shake hands and attempt to enjoy the evening." One man offered a bony hand, the other took it. "I am sorry for having had to do my duty as the town's jailer."

"And I am sorry for having marked the town as if I were the only dog in it." One man snickered, then the other. They burst into laughter. Each bought the other a double shot of tequila wetting the ground beneath them.

Semiòn strolled toward the bar followed by his legion of skeletal canines whom people did not mind, for when a dog lifted a leg to mark territory no stream spurted to stain a wall, or smell to fester the air since their bladders had long since been eaten by worms. All that was left were little waggling tails and clattering paws.

The band struck up "La Feria de las Flores," everyone sighed, found a partner, and the dancing began anew, tune after tune, dance after dance, until the onset of the sun's first rays and time for farewell handshakes and embraces.

At dawn an old man walking a near-by dusty path with his firewood laden burro heard the curious sounds of the echoes of clattering bones and the slamming of iron crypt doors.

Santa Rosa, May, 2000

LA NOCHE DE LOS MUERTOS

Fué una noche grandiosa ciertamente.
Esta comenzó con el curso normal de reuniones pasadas.
Cada rosa reveladora desde su lugar de descanso para la fiesta anual.

Ellos no desperdiciaron tiempo porque tenían sólo una noche para tocar música y bailar y continuar las conversaciones que dejaron sin terminar los años de gala anteriores. El trompetero empezó con el tono animado de La Negra para los gritos y berridos de los ahí reunidos. A él se le unieron los guitarristas y violinistas y el baile empezó en serio.

Caballeros en sus trajes finos y las damas en sus vestidos y joyas.

Ellos nunca se cansan de tocar música o de bailar en éste baile anual porque ellos no tienen pulmones para exaustar de aire ni músculos que se cansen. Allí nunca hay una ampolla en los pies de los bailarines o en un dedo de rasgueador, porque ellos no tienen carne. Todo es una masa de huesos blanqueados en movimientos torpes de intercambio.

El hombre agarra tequila para beber, pero su sed nunca es satisfecha como el jugo fermentado y destilado que el cactus del agave salpica rellenos de oro y quijadas antigüos, atravesando las costillas, formando un hilo que cae por la espina dorsal, y al piso endurecido y terregoso.

Coronel Heraldo hace su entrada triunfal cada año vestido completamente en uniforme (el estipuló que fuera enterrado en él), sus medallas colgando y botones de metal pulidos. Él relata una y otra vez más los detalles del ataque que el dirigió contra la iglesia fortificada en 1836, pero cada año las fuerzas del enemigo crecen como su propia disminución hasta que uno imagine que el ganó la batalla con sólo un muchacho para darle armas cargadas con las cuáles derrotaría a esos gringos Texanos.

Patricia y Laurela se sentaron continuando su charla dejada colgada durante un año completo como si el tiempo nunca hubiera pasado. "El mío fué un funeral maravilloso," alardea Laurela mientras acaricia con los dedos su collar de perlas. "La gente vino de todos los alrededores para presentar a uno sus respetos, excepto por Carina que nunca me perdonó por quitarle su novio cuando éramos jóvenes. Pero él nunca pudiera haberla amado como me amó a mí. Del modo que yo lo veo, le hice un favor. ¿Como hubiera sido vivir con un hombre quién preferiria estar con alguien más? Pero ella nunca entendería o admitiría eso." Patricia, como siempre, asintió con la cabeza en acuerdo con lo que sea que Laurela dijo.

Mientras tanto Semión se agarró en una pequeña discusión con Marco. Parece que cuando ellos residían en la tierra de los vivos, Marco era el carcelero tuvo que encerrar a Semión en una base regular, porque cuando Semión tenía ganas, se dirigía a las cantinas, y fué encontrado varia veces balanceándose por las banquetas de madera del pueblo ya muy tarde por la noche. Esto no era de consecuencia particular ya que todas las mujeres decentes estaban a salvo metidas en sus camas. Pero él se lamentaba con canciones de amores perdidos perturbando a aquellos que ya dormían, después marcaba las paredes del pueblo con sus vapores como los perros que lo amaron y siguieron. Con tal comportamiento, ¿Que iba a hacer Marco el carcelero sino encerrarlo?

Un Semión resentido golpeó adrede el carcelero y a su compañero en la pista de baile. Palabras llevaron a más palabras y un cuchillo se abrió camino hacia Marco. Pero éste pasó por enmedio de las costillas y tocando sólo una vertebra de su espina. Los presentes rieron y rieron incluyendo el carcelero. Bueno, necesidad digo yo, ésto enfureció al pájaro de la cárcel totalmente. El tiró un puñetazo y ambos hombres cayeron al suelo en una telaraña enredada de huesos blancos.

Los miembros de la banda soltaron sus instrumentos. Los hombres dejaron sus compañeros para separar a los dos.

¡Ninguno quiere ver violencia y, a lo mejor Dios prohibe un hueso roto!

El mayor, señor Douglas, escoltó a los dos hombres como si fueran muchachos de escuela. "No tendré una pelea, ¿entienden? Recuerden lo que le pasó a nuestro amigo el señor Chip? Él peleó y se quebró los huesos de su mano ¡y según eran inflexibles! Los atamos juntos con correas de cuero, ¡pero siguieron cayéndose! Tuvimos que esperar quince años completos para que la mujer Tania muriera, pues ella era la única en el pueblo que sabía como atar piezas juntas con láminas de metal y tornillos. Y ella se fué a visitar familiares a una tierra lejana. Ahora por favor dejen sus resentimientos con los vivos, ellos seguramente sabrán que hacer con ellos."

"Nos quedan algunas horas preciosas antes de que vengan a limpiar las tumbas y a dejar las flores y dulces. Estrechen sus manos e intenten disfrutar la tarde." Un hombre ofreció una mano huesuda, el otro la tomó. "Perdón por haber tenido que hacer mi tarea como el carcelero del pueblo."

"Y yo lo siento por haber marcado el pueblo como si yo hubiera sido el único perro en él." Un hombre se rió, luego el otro. Ellos estallaron en carcajadas. Cada uno le trajo al otro un trago doble de tequila mojando el suelo bajo sus pies.

Semión paseó hacia la barra seguido por una legión de caninos esqueléticos quienes no molestaron a las personas, pues cuando un perro levantaba la pierna para marcar territorio, no brotaba ningún chorro que manchara la pared, u olor que pudriera el aire; pues sus vejigas tenían mucho que habían sido comidas por los gusanos. Todo lo que quedaba eran colitas meneándose y patas chacoloteando.

La banda empezó a tocar La Feria de las Flores, todos suspiraron, encontraron una pareja, y el baile comenzó de nuevo, melodía tras melodía, baile tras baile, hasta el comienzo de los primeros rayos de sol y la hora de la despedida con estrechadas de mano y abrazos.

Al amanecer un hombre viejo caminaba cerca por un camino polvoriento con su burro cargado de leña escuchó los sonidos curiosos de los ecos de huesos chacoloteando y el cerrar estrepitoso de puertas de fierro de las criptas.

Santa Rosa, Mayo, 2000

HIS HANDS

His hands fisted themselves to smash jaw bone and pound into rib cage because they were the only brown hands in school until the ignorant learned respect, then they reverently turned the thousand thousand pages of volume after volume of Les Miserables, and Treasure Island, and The Count of Monte Cristo, and The Grapes of Wrath and, and... The exercise would serve them well decades later in placing lettered tiles of board games challenging one's knowledge of the language.

His large strong hands pruned dormant fruit trees in the gray winter frost then picked a mountain of tomatoes, a mountain of broccoli, peaches and lettuce. They harvested truckload after truckload of cantaloupe and watermelon and any other fruit or vegetable that grows under the unforgiving, burning sun of the Central Valley. Those hands performed all work with zeal and pride, any labor to bring food, shelter, and security to those dependent on them.

Years later they swept and mopped the floors of his market and heaved stacking crate upon crate of produce, canned goods, and household items, then set up displays for the next day's commerce. They wore out pencil after pencil late night after late night tallying daily receipts of the only grocery store that allowed credit to his countrymen, fully realizing that some would never be able to make good on the promise of payday.

His hands spanked with patriarchal authority, but soon after all was forgiven and they embraced with tenderness, and love, and benevolence the little offender. They never failed at the steering wheels of large trucks and small trucks transporting loads of freight to and from destinations far beyond distant horizons from when the sun set to when the moon rose. His hands steered their steadiest course with the station wagon filled with the cargo of his life's pride to the pounding waves of white sand beaches or green grasses of parks on Sundays in observance of birthdays, or holidays, or simply to celebrate family.

He could have never known how his ever-present big, bronze, powerful, scarred, and callused hands with a finger or two taking a wrong turn from long forgotten injuries of his countless labors brought us immense pride and secure sleep. So long as his strong hands were with us and Mama, we would never be without protection, without nourishment, without shelter, or love.

Santa Rosa, April, 2000

SUS MANOS

Sus manos tuvieron que empuñarse solas y quebrar mandíbulas y golpear en las costillas ya que ellas eran las únicas manos morenas en la escuela, hasta que el ignorante aprendió a respetarlas. Entonces ellas hojearon reverentemente cientos y cientos de páginas de volumen trás volumen de Los Miserables, y La Isla del Tesoro, y El Conde de Monte Cristo, y Las Uvas de Cólera, y, y... El ejercicio les serviría muy bien algunas décadas después poniendo azulejos con letreros de juegos de pizarrón desafiando a uno con conocimientos del idioma.

Sus manos largas y fuertes podaron árboles inactivos de frutas en el invierno gris y helado, luego recogieron una montaña de tomates, una montaña de brócoli, duraznos y lechugas. Ellas cosecharon trocas trás trocas cargadas de melones y sandías y de cualquier otra fruta o vegetal que crece bajo el sol imperdonable y ardiente del Valle Central. Aquellas manos realizaron cualquier trabajo con celo y orgullo, cualquier trabajo para llevar comida, techo, y seguridad a aquellos que dependen de ellas.

Años después ellas barrieron y trapearon los pisos de su tienda y acomodaron cajas y cajas apiladas de productos agrícolas, enlatados, y artículos para la casa, luego organizar el mostrador para el día siguiente de comercio. Ellas desgastaron lápiz trás lápiz muy tarde noche trás noche llevando cuentas de los recibos diarios de la única tienda de abarrotes que permitió crédito a sus compatriotas, estando completamente consciente de que alguno nunca podrá hacer efectiva la promesa del día de pago.

Sus manos castigaron con autoridad patriarcal, pero después de todo, pronto todo era perdonado y después ellas abrazaron con ternura, y amor, y benevolencia para el pequeño delincuente. Ellas nunca fallaron al volante de trocas grandes y trocas chicas transportando cargas de mercancías desde una destinación a otras más allá de horizontes distantes, desde cuando amanece hasta cuando sale la luna. Sus manos dirigieron el curso más estable con la furgoneta familiar llena con la carga del orgullo de su vida hacia las olas blancas y embravecidas de playas de arena blanca o pastos verdes de parques de domingos en observancia de cumpleaños, o días festivos, o simplemente para celebrar la familia.

Él nunca ha podido saber como sus manos grandes, siempre presentes, bronceadas, poderosas, cicatrizadas, y callosas con un dedo o dos tomando una curva equivocada por viejas lesiones olvidadas de labores incontables que nos trajeron orgullo inmenso y sueño seguro. Mucho tiempo, así como sus manos fuertes estuvieron con nosotros y mamá, nunca estuvimos sin protección, sin alimento, sin techo, o amor.

Santa Rosa, Abril, 2000

ROOSTERS, ETCHINGS, DELICIOUS

Grandmother and grandfather dread what the colors of autumn portend. Fear overhangs their consciousness. They recall the virility that was and observe their fate in the maroon, and amber, and gold leaves falling from canopies to compost into soil.

Winter is the color of a long, cold, black night. Winter is the ceasing of process. Annual grasses bleached a dirty white are devoid of their life-juice. Names are etched onto patient gray tombstones. In winter the aged couple wonders if their soul's numbers will be drawn in the reaper's lottery, or will they be allowed to witness one more cycle of emerging dormant bulbs in the season of hope.

Yellow is the official color of spring. Acacias, Scotch broom, and mustard, wild butter cups, and daffodils are all set upon platters of tall green gleaming grasses dancing in the wind. And a boy's hand, quite by accident, brushes against a girl's, causing a foreign sensation that no one, especially Ma and Pa, could ever understand. What are these vibrations that chase one another from fingertip to tingling toe and cause a blush to the cheeks?

Ah, but the color of summer is found in the tomatoes, strawberries, beets, and hot peppers grown in home gardens from Petaluma to Cloverdale for the joys of consumption, and bragging rights. The color of this season is found in the Rome, Jonathan, Delicious, and the Macintoshes of Sebastopol's orchards.

On warm evenings of summer, women on Santa Rosa Avenue wear tight skirts and paint their lips the color of candied apples found only at the county's fair.

And the Pinot Noir, Cabernet, Merlot, and Zinfandel of the valleys of Dry Creek, Russian River, and Alexander are plump and tipsy with their maroon juices and as cocky as the young plumed rooster in his sheen and might. The fruit of the vines stain the fingers and shirts of field laborers the tint of good blood.

In these slow, warm, dog-days when spring's innocence has faded like the spent blossoms of wisteria, a full man and a full woman wrap arms around one another, to dance the unabated scarlet dances of mating with the verve and energy of a fire engine, sirens screaming, on its way to a three alarm blaze.

Santa Rosa, March, 2000

GALLOS, NOMBRES GRABADOS, DELICIOSO

Abuela y abuelo temen lo que los colores del otoño presagian. Miedo que llena sus consciencias. Ellos recuerdan la virilidad que era y observan su destino en las hojas granate, y ambar, y doradas que caen de los arbustos para transformarse en suelo.

Invierno es del color de una noche larga y fría. Invierno es el cesar del proceso. Pastos anuales blanquearon un blanco sucio que son desprovistos de su jugo de vida. Nombres son gravados en lápidas pacientes y grises. En invierno la pareja de ancianos se preguntan si el número de sus almas será sorteado en la lotería del creador, o si ellos serán permitidos a presenciar un ciclo más de bulbos inactivos que emergen en la estación de esperanza.

Amarillo es el color oficial de la primavera. Acacias, escoba de Escocia, y mostaza, plantas silvestres de flores amarillas, y narcisos son puestas sobre fuentes de pasto verde, alto, y reluciente bailando en el viento. Y una mano de muchacho, meramente por accidente, roza a una muchacha, causando una sensación extraña que nadie, especialmente madre y padre, podrían entender alguna vez. ¿Qué son éstas vibraciones que recorren a uno y al otro desde la punta de los dedos hasta los dedos de los pies hormigueantes y causan un sonrojeo en las mejillas?

Ah, pero el color del verano es encontrado en los tomates, fresas, remolacha, y chiles picantes crecidos en jardines de casas desde Petaluma a Cloverdale para el regocijo del consumo, y derechos de jactación. El color de ésta estación es encontrado en el Roma, Jonathan, Delicioso, y las Macintoshes de las huertas de Sebastopol.

En tardes calientes de verano, mujeres en la avenida Santa Rosa visten faldas apretadas y pintan sus labios del color de las manzanas acarameladas encontradas solamente en la feria del condado.

32

Y el Pinot Noir, Cabernet, Merlot, and Zinfandel de los valles de Dry Creek, Russian River, y Alexander son regordetes y embriagadores con sus jugos granate y tan chulos como el gallo joven y emplumado en su brillo y poder. La fruta de las vainas manchan los dedos y camisas de los campesinos de tinta de sangre buena.

En éstos días miserables, lentos, y calurosos cuando la inocencia de la primavera se a descolorado como las ya agotadas flores de wistaria, un hombre completo y una mujer completa envuelven sus brazos alrededor de uno y otro, para bailar los bailes escarlatas e incesantes de apareamiento con el brío y energia de un carro de bomberos, sirenas gritando, en su camino hacia un incendio de tres alarmas.

Santa Rosa, Marzo, 2000

GRACIAS, MAMACITA

Gracias, Mamacita, for coming to me in the middle of the night when I called your name. "Tengo frio, I am cold," was all that I had to say. The comforting sound of your steps coming down the hall and the extra blanket drawn under my chin was security that I took for granted.

Gracias, for the smell of albondigas, and calavacitas, and tortillas, and frijoles, and capirotada and arroz con leche that welcomed me home from the long walk from school. Those powerful aromas were able to take back the kitchen from the odor of Dad's cigarettes. I didn't know that those aromas would only be a beautiful memory one day. I thought that they would always be there. I traded a lot of your bean burritos for store bought pastries and thought that I was getting the better deal!

Gracias, Ma, for the horchata, and the aguas de tamarindo and sandia. Canned sodas were no match for them.

Gracias for wearing those on sale J.C. Penny's dresses until they were rags so that Fernando and I would have respectable uniforms for school, and for cooking for my high school friends. It made me proud to hear them speak of your foods for days, and weeks, and months after.

Gracias for lending me and my young bride money to buy our first home.

Gracias, Ma, for teaching me to feed the hungry, clothe the naked, tend the sick, and visit the imprisoned.

And gracias, my loving Mamacita, for the time when I called your name on the darkest night saying, "Tengo frio." Except that this time I wasn't cold. I just wanted to make sure that you would come, and you did, and I have slept well since.

Santa Rosa, December, 1995

34

GRACIAS, MAMACITA

Gracias, mamacita, por venir a mí en la noche cuando llamé tu nombre. "Tengo frío," era sólo eso lo que tenía que decir. El sonido confortante de tus pasos bajando a la sala y la sábana extra acomodada bajo mi barbilla fué seguridad que yo tuve por premio.

Gracias el olor de albóndigas, y calabacitas, tortillas, y frijoles, capirotada y arroz con leche que me daban la bienvenida a casa después de una larga caminata de la escuela. Esos aromas poderosos que se podían regresar a la cocina del olor de los cigarrillos de Papá. Yo no sabía que esos aromas serían sólo un recuerdo hermoso un día. Yo creí que estarían por siempre ahí. Yo cambié muchos de tus burritos de frijoles por pastelillos comprados en la tienda. ¡Yo creí que estaba teniendo el mejor de los intercambios!

Gracias, Ma, por la horchata, y las aguas de tamarindo y sandía. Refrescos de bote no eran comparación buena para ellas.

Gracias por usar esos vestidos en descuento de J. C. Penny hasta que fueron trapos para que Fernando y yo tuviéramos uniformes respetables para la escuela, y por cocinar para mis amigos de la secundaria. Me hizo muy orgulloso escucharlos hablar de tus comidas por días, y semanas, y meses después.

Gracias por prestarnos dinero a mí y mi novia para comprar nuestra primera casa.

Gracias, Ma, por enseñarme a darle de comer al hambriento, vestir al desnudo, atender al enfermo, y visitar al prisionero.

Y gracias, mi querida mamacita, por las veces que yo llamé tu nombre en la noche obscura diciendo, "Tengo frío." Excepto que ésta vez no tenía frío. Yo solo quería estar seguro que vendrías, y lo hiciste, y he dormido muy bien desde entonces.

Santa Rosa, Diciembre, 1995

A Turbulent River

Un Río Turbulento

UGLY WORDS

My soul was in stuporous egotistical sin when I spat razor verbs and adjectives into her soft face. I punched her stomach with nouns that knocked out her wind.

I spoke in a left-handed and spastic, awkward, foreign language, a harsh and cruel tongue of snarls and barks.

I saw the apparition of her cut face like a sad constellation in the night sky asking why I chose the arrow from Orion's quiver to pierce the heart of one who only loved me.

I dreamed the disturbing dreams of trying to understand my regrettable ugly words, like a frustrated scientist in a hostile laboratory repeatedly asking why and the why of why.

Dawn came reminding me of another failed attempt at sleep. The infant light grew slowly, deliberately, until it shone in a brilliance opening the heavens revealing that the time of analysis and trying to understand is over, that one must realize that the path between love and disappointment is precariously narrow. In the end, one can only beg forgiveness and have the courage to accept its denial.

Santa Rosa, May, 1999

PALABRAS FEAS

Mi alma estaba en pecadoególatra y estuporoso cuando escupí vocales y adjetivos como navajas en su rostro suave. Le golpié su estómago con verbos que la dejaron sin aliento.

Yo hablé en una lengua extranjera, espástica, y difícil que era un lenguage áspero y cruel de gruñidos y ladridos.

Yo ví la aparición de su cara cortada como una constelación triste en el cielo de la noche preguntándome porqué escogí la flecha de la caja Orion para perforar el corazón de alguien que sólo me amó.

Yo soñé los sueños disturbantes de tratar de entender mis pronunciaciones lamentables, como científicos frustrados en un laboratorio hóstil, preguntándome repetidamente porqué y el porqué de porqué.

Luz del amanecer vino como un recordatorio de otro intento fallido al dormir. La luz tierna creció lentamente, deliberadamente, hasta que llevó a una brillantez que abrió los cielos revelando que el tiempo de análisis e intento de entender habían terminado, que uno debe de entender que el camino entre amor y desilusión es precariosamente estrecho. Al final, uno solamente puede suplicar perdón y tener el valor de aceptar su negación.

Santa Rosa, Mayo, 1999

THE TORNADO

My love assails me with her kisses, her arms, and flesh.

Like a tornado she hurls my faults to distant lands where they crash to earth in fragments.

Like a magician she puts the cruel demons of fear and rage into her hand, and with the wand of her affection she turns them into purring kittens.

My love has patience with me like a whale swimming silently, gracefully in my turbulent waters, without fear, without fault, and with the assurance of one who knows all and one who knows nothing.

She is a light in the darkest hour.
She is a joyful muse in a world of tears.
She is the love that melts the iceberg of my frozen waters.

Sebastopol, November, 1998

EL TORNADO

Mi amor me agrede con sus besos, sus brazos, y carne.

Como un tornado, ella lanza mis faltas a tierras distantes donde ellas se estrellan la tierra en fragmentos.

Como un mago, ella pone los demonios crueles del miedo y rabia en su mano, y con su varita mágica de su afecto ella los transforma en gatitos ronroneando.

Mi amor tiene paciencia conmigo como una ballena nadando silenciosamente, elegantemente en mis aguas turbulentas, sin miedo, sin culpas, y con la certeza de uno que lo sabe todo y uno que no sabe nada.

Ella es una luz en la hora más obscura.
Ella es una musa alegre en un mundo de lágrimas.
Ella es el amor que derrite la masa de hielo de mis aguas congeladas.

Sebastopol, Noviembre, 1998

NO HIDING

Her eyes dig into me like the talons of a hawk. Her language
speaks unerring words thoughtful and inquisitive.

Her sure words run like the blue waters of a hurried brook
spewing a fountain of poetry. They undress me showing all that
I am not. There is no place for me to hide either behind a tree
or in a dream.

And why, when she sees all and understands my follies, does she
still love me? Is she mad, wise, or does she simply like to laugh at
clowns?

Sebastopol, November 1998

SIN ESCONDITES

Sus ojos se clavan en mí, como las garras de un halcón. Sus lenguas hablan palabras infalibles, pensativas, e inquisitivas.

Sus palabras seguras corren como las aguas azules de un arroyo precipitado escupiendo una fuente de poesía. Ellas me desvisten mostrando todo lo que no soy. Allí no hay lugar para esconderme ya sea atrás de un árbol o en un sueño.

¿Y porqué, cuando ella mira todo y entiende mis locuras, ella todavía me ama? ¿Está ella loca, sabia, o simplemente le gusta reír de los payasos?

Sebastopol, Noviembre, 1998

MY VERSES

On this miserable day my poetry is nothing more than the carcass of a dead anteater with a collection of consonants and syllables scurrying over it like ants desperately trying to retrieve the memories of ancestors from minute particles of flesh.

My verses are a gathering of vowels and a jumble of diction lined in uneven rows of mischievous ideas at the beginning and dreams boomeranged from their stellar graves at the end.

My stanzas expose a mind at odds with black and white truths in a perpetual tug-of-war with the hope and disdain of acceptance.

My verses too often wander the unlit streets of the night of despair like a man with amnesia in desperate search of his name.

My cat does not like my poetry.

Santa Rosa, October, 1999

MIS VERSOS

En éste día miserable, mi poesía no es algo más que el cadáver de un oso hormiguero con una colección de consonantes y sílabas escurriendo sobre él como hormigas tratando desesperadamente de recuperar los recuerdos de ancestros de partículas diminutas de carne.

Mis versos son una reunión de vocales y un revoltijo de dicción alineadas en hileras desiguales de ideas traviesas al comienzo y sueños regresivos desde sus tumbas estelares al final.

Mis estanzas exponen una mente a los extraños con verdades negras y blancas en un perpetuo juego de la cuerda con la esperanza y desdén de aceptación.

Mis versos muy seguido vagan por calles obscuras de la noche de desespero como un hombre con amnesia en la busca desesperada de su nombre.

A mi gata no le gusta mi poesía.

Santa Rosa, Octubre, 1999

ROADSIDE FLOWERS

Notice how they brighten the sterile ground of the byway.
Are they not a testament to beauty in this rushed world of
asphalt and automobiles?

Can one not help but see them and think, if only for a moment,
that there is so much more than one's quick life of time
schedules and destinations, which after all, will only be forgotten
the very next day?

See how these delicate blossoms adorn the small white cross
reminding you that a profound event took place on this spot that
you pass each day on your way to seemingly important business.

"Someone made an unforeseen and final stop here," they whisper
into each driver's ear.

And all that is left a man are his humble roadside flowers and
his anguished warnings to a hurried planet that his little girl and
her mommy saw their last day on this ground made hallow by
the passing of their souls.

See how the shining purple ribbons wave in the wake of each
passing car.

Santa Rosa, November 2000

LAS FLORES DEL CAMINO

Nótese como ellas alumbran la tierra estéril del camino.
No son ellas un testimonio de belleza en éste mundo acelerado de
asfalto y automóviles?

Puede uno no ayudar, pero verlos y pensar, si fuera sólo por un
momento, que hay mucho más que una vida rápida de horarios y
destinos, los cuáles, después de todo, serán olvidados al próximo
día?

Vé como ésos delicados florecimientos adornan la pequeña cruz
blanca, recordándote que han tenido un evento profundo en éste
lugar por dónde tú pasas cada día en supuestos negocios
importantes.

"Alguien hizo una parada imprevista y final aquí" ellos
susurraron al oído del chofer.

Y todo lo que queda de un hombre son sus humildes flores del
camino y su angustiosa preocupación de un planeta acelerado,
que su pequeña niña y su mamá vieron el último día en ésta
tierra santificada para el paso de sus almas.

Vé como los listones morados están brillando inmediatamente
después con cada coche que vá pasando.

Santa Rosa, Noviembre del 2000.

Moon-lit River

Rio de Luna

IF I LOVED YOU YESTERDAY

If I loved you yesterday, I love you more today.

If I loved you at dawn then I love you all the more as the sun bids a good evening to the blue and green earth.

If I love you when the hourglass is turned and one grain follows another, I will love you more with each falling particle until the last nestles atop the mound.

If I love you with this breath then I will love you all the more with the next and then with each batting of an eye, and with each flutter of the hummingbird's wing, I will love you again and more.

I will heap my love for you after a day's labor and sleep to dream of you and awake to love you more than the night before,

because, my love, if I loved you yesterday

I love you

more

today.

Santa Rosa, June, 2000

SI YO TE AMÉ AYER

Si yo te amé ayer, te amo más ahora.

Si yo te amé al amanecer, entonces yo te amo aún más como cuando el sol intenta hacer una tarde buena para la tierra azul y verde.

Si yo te amo cuando el reloj de arena es volteado y un grano sigue al otro, yo te amaré más con cada partícula que cae hasta las últimas en arrellanarse en la cima del montón.

Si yo te amo con éste aliento, entonces te amaré aún más con el siguiente y después con cada pestañeo de un ojo, y con cada aleteo de las alas de la chuparrosa, te amaré otra vez y más.

Yo amontonaré mi amor por tí después de un día de trabajo y dormir para soñar contigo y despertar para amarte más que la noche anterior.

Porque si yo te amé ayer

yo te amo

más

hoy.

Santa Rosa, Junio, 2000

OF LITTLE BOYS AND KISSES

Today my thoughts are the joyous thoughts of a little boy on a swing, for I know that she will be there to greet me on my return on the morrow.

I anticipate her smile wrapped around my tired eyes.

Hurry night, hurry day, break into a trot, pass quickly that the hour may arrive sooner, that the smile and pocket full of kisses she has saved for me will not be in the distance but here before my longing soul,

that the minute may come that we shall embrace,

that the second may come that our lips may lose their arid hours apart to be moistened by the kiss that says

"Hello, my love,
how
I
have
missed
you."

San Diego, August, 1999

DE NIÑITOS Y BESOS

Hoy mis reflexiones son de pensamientos jubilosos de un niñito en un columpio, porque yo sé que ella estará ahí para saludarme a mi regreso el día siguiente.

Yo espero ansiosamente su sonrisa envuelta alrededor de mis ojos cansados.

Noche apresurada, día apresurado, que se quiebra en un paso rápido, pasa rápidamente que la hora puede llegar antes, que la sonrisa y un paquete lleno de besos que ella ha salvado para mí, no estará en la distancia sino aquí ante mi alma añorada,

que el minuto puede venir en que estaremos abrazados,

que el segundo puede venir en que nuestros labios podrían perder sus horas áridas para ser humedecidos por el beso que dice

"Hola, mi amor,
como
te
he
extrañado."

San Diego, Agosto, 1999

HER STARS AND CRESCENT MOON

When she is not with me I am like a tired laborer with sad callused hands sitting in the shadow of a fallen oak.

When I am away from her she occupies my thoughts from the rising to the setting sun.

I sit recalling and wanting to breathe in the sweet jasmine perfume of her sweet breath.

Seeing my melancholy, she swept diamond fragments from the jeweler's floor then cast them into the night; that is my loneliness.

She took a scythe, shaved a crescent moon from an ingot of silver, then gently blew it from the palm of her hand into the black silk of my melancholy.

When I am away from her she occupies my thoughts, horizon to eternal horizon.

Santa Rosa, August, 1999

54

SUS ESTRELLAS Y MEDIA LUNA

Cuando ella no está conmigo, soy como un obrero cansado con manos tristes y callosas sentado en la sombra de un roble deshojándose.

Cuando estoy lejos de ella, ella ocupa mis pensamientos desde la salida hasta la puesta del sol.

Me siento recordando e intentando respirar en el perfume dulce de jazmín de su aliento.

Mirando mi melancolía, ella barrió fragmentos de diamantes del piso del joyero, después los arrojó en la noche: ésa es mi soledad.

Ella tomó una guadaña, afeitó una media luna de un lingote de plata, después lo sopló suavemente de la palma de su mano en la seda negra de mi melancolía.

Cuando estoy lejos de ella, ella ocupa mis pensamientos, horizonte placentero a horizonte eterno.

Santa Rosa, Agosto, 1999

GOOD MORNING SWEET LADY

Did you sleep well, tender woman?

I hope you had the dream of the rosebud glistening with dew at dawn.

Did you hear the gossipy chatter of finches this morning?

Did you feel the sweet blend of warm sun rays with cool morning air?

Did you wonder what today may bring, a message perhaps from someone who cares, a trip to the blue coast, or a bouquet of contented flowers?

I hope that your slumber was not of the restless but the satisfied. I hope that your dreams were not of career and the endless responsibilities of home and motherhood.

In short, my sweet woman, I pray that you slept well.

Santa Rosa, November, 1998

56

BUENOS DÍAS SEÑORA ADORADA

¿Durmió usted bien, tierna señora?

Espero que usted haya tenido el sueño del capullo de rosa brillando con el rocío al alba.

¿Escuchó usted el parloteo chismoso de pajarillos ésta mañana?

¿Sintió usted la mezcla dulce de rayos de sol tibios con aire fresco de la mañana?

¿Se pregunta usted que traerá el día de hoy, un mensaje quizás de alguien que se interesa, un viaje a la costa azul, o un ramo de flores contentas?

Espero que su dormir no haya sido el más agitado sino el más satisfecho. Espero que sus sueños no hayan sido de carreras y las responsabilidades interminables de hogar y maternidad.

En resumen, mi mujer adorada, yo rezo que usted haya dormido bien.

Santa Rosa, Noviembre, 1998

OUR LOVE

Our love is an erotic banana

naked, shorn of its yellow dress

sensually firm, sensually white, sensually aromatic.

Our love is a soft warm donut

dressed in a transparent dripping glaze.

I will eat the donut with steaming coffee.

You will eat the banana from its fruit bowl while

drinking cold milk.

We will hide our thoughts

with laughter and winks

and plunge

under silk sheets.

We will hug and embrace not as we do our children

but with the meaning and mischief of what

created them.

Sebastopol, December, 1997

NUESTRO AMOR

Nuestro amor

es un plátano erótico

desnudo, despojado de su vestido amarillo

sensualmente firme, sensualmente blanco,
sensualmente aromático.

Nuestro amor es una dona calientita y suave

vestida en un glaseado humectante y transparente.

Yo me comeré la dona con café caliente.

Tu te comerás el plátano de tu tazón de frutas mientras
tomas leche fría.

Esconderemos nuestros pensamientos

con risas y guiños

y nos sumergiremos

bajo sábanas de seda.

Nos abrazaremos y cubriremos con nuestros brazos pero no
como hacemos con nuestros hijos

sino con el significado y picardía

de lo que los crearon.

Sebastopol, Diciembre, 1997

AN EXQUISITE EVE

Gently,

I will knock

on your door

when the heavens are clothed in sheer black silk.

You will lie

exquisitely naked

by the flame

of a candle.

Whispering,

I will quietly love you in air

sweetened by the flower of a jealous jasmine

to insure the deed,

and we will sing the psalms of Eros.

Mendocino, December, 1998

UNA EVA EXQUISITA

Suavemente,

yo tocaré

en tu puerta

cuando los cielos son vestidos de seda negra y pura.

Tú te acostarás

exquisitamente desnuda

por la llama

de una vela.

Susurrando,

te amaré silenciosamente en aire

endulzado por la flor de un jazmín celoso

para asegurar la obra,

y cantaremos el salmo de Eros.

Mendocino, Deciembre, 1998

EVERY DAY

Every day will be as if for the first time. I will love you today as I will love you tomorrow and with the strength that I loved you on that yesterday when we met.

I will kiss your lips when they are happy and when they are sad.

I will hold your hand every day even when our veins protrude in all directions under skins dried and toughened by decades of toil and worry.

Te voy a querer hasta que pare de crecer el arbol del palo rojo, hasta las olas del mar paren sus ataques contra la costa, hasta que no tiene sed la chuparosa.

I will love you when the finches begin their serenade at dawn, when the lost ship finds its way to its harbor and with the song of the newborn's first cry.

You are the ocean breeze that breaks the miserable heat waves of my infernos.

And remember, my dear sweet woman, never will I look for what is missing but will embrace and hold, and kiss your kindness and passions for me, that I will love you with the strength and desire that I loved you for the first time.

And need you ask why? I will tell you, when you held my tired hand that day, it was you who closed the door on my despondent spirit.

Gualala, September, 1999

CADA DIA

Cada dia será como si fuera la vez primera. Te amará hoy como te amará! mañana y con la fuerza con que yo te ame en ése ayer cuando nos conocimos.

Yo besaré tus labios cuando esten felices y cuando están tristes.

Yo sostendre tu mano cada dia, incluso cuando nuestras venas sobresalgan en todas direcciones bajo pieles secas y gastadas por décadas de trabajo duro y de preocupación.

I will love you until the redwoods stop growing, until the waves of the ocean stop their attack against the coast, until the hummingbird's thirst is satisfied.

Te amaré cuando los pajarillos comiencen su serenata al amanecer, cuando el barco perdido encuentre su camino hacia su puerto y con el canto del primer llanto del recien nacido.

Tu eres la brisa del océano que rompe las olas del calor miserable de mis infiernos.

Y recuerda, mi mujer dulce y querida, nunca buscare lo que está perdido, pero abrazaré, sostendré, y besaré tu amabilidad y pasiones por mi, que yo te amaré con la fuerza y deseo con que yo te amé por vez primera.

Y necesito preguntarte, porqué. Te diria, cuando tu sostuviste mi mano cansada ese dia que fuiste, tu quién cerró la puerta en mi espiritu descorazonado.

Gualala, Septiembre, 1999

SEEDS OF THE SOUL

She phoned me!

She,

phoned,

ME!

Orange and yellow flower petals poured from the receiver onto me in radiant showers the colors of her smile.

The golden harp of her voice sang out taking with it that detested imp who takes pleasure in stealing bliss from the hearts of lovers.

Oh good day.

Rain has never looked more beautiful than on this wondrous morning. See how it brings forth the birth of dormant seeds in the earth and the soul coloring all in joyful hues, hopeful tints, and mischievous blushes.

She called me on the phone, and we spoke of the kisses,

lost in the absence,

of

one

another.

Santa Rosa, October, 1999

SEMILLAS DEL ALMA

¡Ella me telefoneó!

¡Ella,

me,

telefoneó!

Pétalos de flores anaranjadas y amarillas vaciadas del recibidor en mí en baños radiantes de colores de su sonrisa.

El arpa dorada de su voz cantó llevando con ésta, ése duendecillo detestable quién toma placer robando dicha de los corazones de amantes.

Oh, día bueno.

La lluvia nunca lució más hermosa que ésta mañana grandiosa. Mira cómo ésta trae hacia adelante el nacimiento de semillas inactivas en la tierra y el alma coloreando todo en matices alegres, tintes prometedores, y rubores llenos de picardía.

Ella me llamó por teléfono, y hablamos de los besos,

perdidos en la ausencia,

de

uno

y otro.

Santa Rosa, Octubre, 1999

YES

Good God Almighty! She said, "Yes!"

I got on my knee and asked her, and she said, "Yes!"

My legs trembled, my voice quavered for the damned
uncertainty, but, she said, "Yes" with tears in her opened eyes.
SHE, SAID, "YES!"

I have so little to offer but it is enough for her that I am simply
who I am! "Quick, I better give her the ring so that she can't
change her mind!"

Will she continue to pat my cheek and laugh at my countless
follies?
Will she continue to smile every single day when she sees me?

"Oh crazy woman do understand who you are getting involved
with?"

"Three immense Titans of ancient Greece cannot hold the love
that I have for you. Cupid has emptied his quiver into my hind
quarters."

Winter, summer, and autumn will each be a springtime of joy
each day. Daytime will provide the sun's light to see her face,
and the night means sharing a bed, and sleep will bring the
dreams of love and a world void of sadness.

I will give coins to the beggars, candy to the children, and smile
at each stranger because she said, "Yes, I will take this journey
with you. Yes, I will be your partner. Yes, I will walk arm and
arm, shoulder to shoulder with you."

Good God Almighty! SHE SAID, "YES!"

Santa Rosa, September, 2000

¡SÍ!

¡Dios Bueno y Poderoso! Ella dijo, "¡Sí!"

Me pusé de rodilla y le pregunté, y ella dijo, "¡Sí!"

Mis piernas temblaron, mi voz se quebrantó por la indecisión maldita, pero, ella dijo, "¡Sí!" con lágrimas en sus ojos abiertos. ELLA DIJO, "¡SÍ!"

¡Yo tengo tan poco que ofrecerle, pero es suficiente para ella que yo sea simplemente quién soy! "Rápido, es mejor que le dé el anillo, así ella no podrá cambiar de idea."

¿Continuará ella acariciando mi mejilla y riendo de mis locuras incontables?
¿Continuará ella sonriendo cada día que me vea?

"O mujer loca, entiendes tú con quién te estás involucrando?"

"Tres Titanes inmensos de la Grecia antigua no pueden sostener el amor que yo tengo para tí. Cupido ha vaciado su caja de flechas en mis cuartos traseros."

Invierno, verano, y otoño serán cada uno una primavera de regocijo cada día. El día proporcionará de luz solar para ver su rostro y la noche significa el compartir una cama, y dormir traerá los sueños de amor y un mundo vacío de tristeza.

Le daré monedas a los mendigos, dulces a los niños, y sonreiré a cada extraño porque ella dijo, "Sí, yo tomaré éste viaje contigo. Sí, yo seré tu compañera. Sí, yo caminaré brazo con brazo y hombro con hombro contigo."

¡Dios Bueno y Poderoso! ELLA DIJO, "¡SÍ!"

Santa Rosa, Septiembre, 2000

67